QUAND JE SERAI
GRAND,
JE SERAI ...

© 1985 Usborne Publishing Ltd, Londres
© 1985 Éditions G.P., Paris
ISBN 0-590-24213-X
Titre original : Things People Do
Imprimé en Grande-Bretagne

Édition publiée par Scholastic Canada Ltd.,
123 Newkirk Road, Richmond Hill (Ontario),
Canada L4C 3G5.

Il y a quelque chose d'amusant dans la plupart des noms des personnages. Prononce-les plusieurs fois à haute voix.

Il y a un canard sur chaque double page. Essaie de le trouver.

QUAND JE SERAI GRAND, JE SERAI...

Anne Civardi

Illustrations : Stephen Cartwright

Conception : Roger Priddy

Conseillère : Betty Root

Traduction : Hélène Costes

SOMMAIRE

L'île de Banille

Voici l'île de Banille où tous les personnages de ce livre vivent et travaillent. Ce n'est pas une très grande île, mais ses habitants y trouvent tout ce dont ils ont besoin. Il y a un hôpital, un aéroport, des écoles, un hôtel, des restaurants, des magasins, un théâtre, une banque, une caserne de pompiers et un poste de police.

Le courrier qui arrive sur l'île et qui en part est trié à la poste située sur la place. La poste assure aussi toutes les liaisons téléphoniques.

Le maire de Banille s'appelle Elise Aimoi. Elle et ses six conseillers ont la charge de l'île. Beaucoup d'autres personnes travaillent aussi pour l'île, et contribuent à en faire un pays accueillant et agréable à vivre.

Drapeau national de Banille

Timbre de Banille

Aéroport de Banille

Télévision de Banille

Maison du maire

Hôpital Sainte-Erna

Mairie

Usine de glace de Banille

Ecole Anne-Bonnait

Cabinet du Dr Silline

Hôtel Blitz

Poste

BA333

4

Plantation d'Orchidées de Banille

Ferme Pautolet

Cabinet du vétérinaire

Église Saint-Spire

Garage de Clément Min

L'Echo de Banille

JOURNAL

Boulangerie Baguette

Caserne des Pompiers

Théâtre

Banque

Poste de Police

Marché au poisson

Qui travaille dans l'île ?

Tous les six ans, les habitants de Banille votent pour élire un maire et six conseillers. Deux fois par semaine, le maire réunit les conseillers à la mairie. Ils discutent des problèmes de l'île, et décident de ce qu'il faut faire.

Le maire   Les conseillers

Les conseillers ont diverses tâches. Ils s'occupent des écoles, des autobus, des routes et de l'hôpital de Banille. Ils veillent aussi à la sécurité des maisons et des immeubles, et à la propreté des hôtels et des restaurants.

Juge   Policiers pompiers et ambulanciers

Le juge Clément dirige le tribunal. Il veille à ce que les accusés aient un procès équitable. S'ils sont reconnus coupables, il décide de la peine à donner. La police et les pompiers de Banille ont la tâche de secourir les habitants de l'île.

Eboueur   Balayeur de rue   Egoutier

Les éboueurs, les balayeurs de rue, les égoutiers, les jardiniers et les gardiens de parcs entretiennent l'île. Des ingénieurs veillent à ce que toutes les maisons aient l'eau potable, l'électricité, le gaz et un téléphone qui marche.

Ingénieurs   Postière   Gardien de parc

Le Marin-Pêcheur

Raoul et Tanguy Lahoule sont marins-pêcheurs. Tous les matins à l'aube, ils quittent le port à bord de leur bateau *La Mascotte*. La pêche en mer est un travail dangereux. Les deux frères sont très prudents. Ils connaissent l'emplacement des récifs et des courants autour de Banille. Aujourd'hui, ils poseront leurs filets à deux kilomètres environ du rivage.

Pêcheur

Raoul enfile des vêtements chauds et imperméables en prévision d'une longue journée en mer. Sa femme, Marina, lui prépare des sandwiches et une soupe chaude à emporter.

Garde-côte

Pendant que Raoul inspecte les filets de pêche, Tanguy parle au garde-côte. Il se renseigne pour savoir le temps qu'il va faire en mer aujourd'hui.

Il y a un instrument spécial, appelé un sonar, à bord de *La Mascotte*. Il signale aux pêcheurs la présence d'un banc de poissons en dessous ou à proximité de leur bateau.

La pêche

Un panier accroché au mât du bateau indique aux autres pêcheurs qu'ils doivent se tenir à distance.

Raoul ramène le filet quand il est plein de poissons. Tanguy les attrape avec une épuisette et les jette sur le pont.

Le marché au poisson

Tous les mardis et vendredis, Raoul et Tanguy vendent le produit de leur pêche à la grande vente à la criée qui a lieu sur le quai.

Tanguy gagne un prix pour avoir pêché le plus gros homard de l'année.

Maire

Une partie du poisson sert à faire des conserves d'aliments pour chats ou il est transformé en farine de poisson pour faire de l'engrais.

Porteur

Tanguy répartit le poisson dans des caisses, et le recouvre de glace.

Le soir venu, les pêcheurs mettent le cap sur l'île. Ils ont pris beaucoup de poissons.

De retour au port, Raoul décharge les caisses et lave le pont à grande eau.

La pêche au homard

1

2

3

Une fois par semaine, Tanguy va inspecter les casiers à homards en barque.

Tanguy a eu de la chance. Le gros homard qu'il a pris se vendra un bon prix au marché.

Tanguy place un nouvel appât dans le casier à homards, et remet le casier dans la mer.

Hôtelière

Marchand de poisson

Le marchand de poisson, Pat Fretin, circule au milieu des rangées de caisses en annonçant le prix du poisson.

Eugénie Dulogit achète du poisson pour un banquet.

Capitaine de marine

7

L'Entrepreneur

Pierre Detaille est entrepreneur. Huit ouvriers qualifiés travaillent pour lui et l'aident à construire des maisons à Banille. Ils construisent en ce moment une maison pour le maire.

Chaque membre de l'équipe de Pierre a un travail précis. Bill Dauser est terrassier. Denis Vau construit des murs. Clovis est charpentier, et Jérémie est plombier.

Emma Lumé est électricienne. Jean Duitout est un plâtrier hors pair. Romain Latuile fait la toiture, tandis que Renaud peint et décore les murs.

Entrepreneur — Plombier — Electricien — Maçon — Charpentier — Peintre — Couvreur — Plâtrier — Terrassier

La maison est terminée. Élise Aimoi et son mari sont enchantés. C'est encore plus joli que ce qu'ils espéraient.

Le maire remet à Pierre et à son équipe une médaille d'or pour leur excellent travail.

Employée de mais...

Une maison à construire

1 Avant de commencer les travaux, Pierre inspecte l'emplacement qu'Élise Aimoi a choisi pour sa maison. Situé sur une colline, il surplombe la mer de Banille.

Architecte

2 Albert Aule, l'architecte, a dessiné les plans de la future maison. Pierre suivra soigneusement ces plans pour construire la maison.

3 A l'entrepôt, Pierre commande les matériaux nécessaires. Il achète des briques, du ciment, du bois, des clous, du plâtre, de la peinture et des tuiles.

4 Bill Dauser est le premier sur les lieux. Avec une pelle mécanique, il aplanit le sol et creuse de profondes tranchées pour les fondations et le tout-à-l'égout.

12 Sabine Lataire, la jardinière paysagiste, plante les fleurs préférées du maire dans le jardin et, pour lui faire une surprise, deux gros arbres de Banille.

11 Renaud Vassion a peint les boiseries dans la chambre d'Élise Aimoi, et pose le papier peint. Il essuie les traces de colle à papier.

10 Romain, le couvreur, pose les tuiles du toit. Ce sont des tuiles en terre cuite qui ont été spécialement fabriquées à Banille.

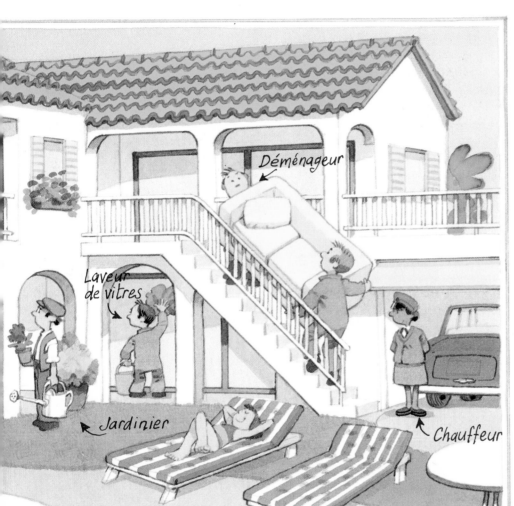

Déménageur

Laveur de vitres

Jardinier

Chauffeur

9 Avant que Renaud peigne les murs, Jean les recouvre de plâtre. Il doit travailler vite pour utiliser le plâtre qu'il a préparé avant qu'il ne prenne.

8 La maison est presque finie, mais il manque encore l'électricité. Emma Lumé, l'électricienne, pose le circuit électrique, avec les prises et les sorties de courant.

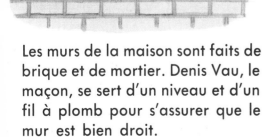

5 Les murs de la maison sont faits de brique et de mortier. Denis Vau, le maçon, se sert d'un niveau et d'un fil à plomb pour s'assurer que le mur est bien droit.

6 Clovis Lebois fabrique l'encadrement en bois des portes et des fenêtres. Quand la maçonnerie sera finie, il construira la charpente du toit.

7 Le charpentier a fini son travail. Jérémie Laut, le plombier, pose la tuyauterie pour amener l'eau à la cuisine et aux deux salles de bains.

L'Hôtelière

Une vive agitation règne à l'hôtel Blitz, l'hôtel le plus luxueux de Banille. Eugénie Dulogit, l'hôtelière, doit tout organiser pour l'arrivée du célèbre groupe de rock, Nina et les Anicroches.

Un banquet en l'honneur du groupe est prévu pour la soirée. Il y a beaucoup à faire avant leur arrivée. Eugénie parcourt l'hôtel pour donner ses directives au personnel.

Nina dormira dans la meilleure chambre du Blitz. Paul Auchon, le valet de chambre, fait le lit et met de l'ordre.

Les fans de Nina ont envoyé plein de fleurs. Eugénie demande à l'intendante de les disposer dans de jolis vases.

Dans la salle de bains, Eugénie s'assure qu'il ne manque rien : savon, eau de toilette et serviettes propres.

Dans la salle de banquet, les tables sont dressées avec soin. Chaque table est décorée avec des orchidées de Banille.

Eugénie demande au barman, Gérard Mansoif, de préparer un cocktail spécial pour l'apéritif.

Dans le hall, Eugénie indique à chacun ce qu'il doit faire à l'arrivée du groupe. André Sanfrapé, le portier, attend dehors.

Eugénie est enchantée du repas que son chef cuisinier a préparé pour le banquet. La soupe au homard est succulente.

Les Anicroches arrivent

Tout est prêt quand la voiture arrive avec Nina et les Anicroches.

Les habitants de l'île sont accourus de toutes parts pour les acclamer. Le groupe est très populaire à Banille.

Dans la cuisine

Dans la cuisine, Gordon Bleur et ses cuisiniers ont presque fini de préparer le festin.

L'un des aides-cuisiniers a de sérieux ennuis. Il a oublié de faire une sauce spéciale.

Le banquet

Le banquet est une réussite. La nourriture et le vin sont délicieux. Nina et les Anicroches remercient Eugénie Dulogit et Gordon Bleur.

Menu
Bisque de Homard
Matelote de poisson
Julienne de légumes
Glace de Banille nappée de sauce au chocolat

Le personnel de l'hôtel

Hôtelière

Intendante

Femmes et valets de chambre

Réceptionniste

Portier Bagagiste Groom

Barman Maître d'hôtel

Chef cuisinier

Aides-cuisiniers

Serveuses et serveurs

11

Le Maître d'école

Nestor Nikar est instituteur à l'école Anne-Bonnait de Banille. Une cinquantaine d'enfants, âgés de cinq à huit ans, vont à l'école. Nestor leur apprend à lire et à écrire.

Il enseigne maintenant depuis près de dix ans sur l'île, en aidant Josée Toup, la directrice, à faire marcher l'école. Il espère être un jour directeur à son tour.

Directrice

Josée Toup dirige l'école.

Nestor Nikar est le maître principal. Il enseigne le français.

Sous-directeur

Professeur de maths

Rita Maitrique apprend à compter aux enfants.

Sido Fadiaise enseigne la musique, le chant et le piano.

Professeur de musique

Professeur de dessin

Manuel Travo enseigne le dessin, la peinture et la poterie.

Professeur de gymnastique

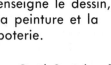

Gaël Souplex fait faire de la gymnastique et des jeux aux enfants.

Une journée de Nestor Nikar

9 h 30

Au début de la journée, Nestor Nikar fait l'appel pour s'assurer que tous ses élèves sont présents.

11 heures

Après la leçon de français, Nestor fait répéter aux enfants la pièce de fin d'année. Henri Soukap sera le roi.

12 h 30

Nestor assiste au repas. Il y a du poulet, des petits pois et des pommes de terre. On ne doit rien laisser dans son assiette.

15 heures

L'équipe de Nestor Nikar, à ruban rouge, court contre l'équipe de Gaël Souplex, à ruban vert.

16 h 30

A la fin d'une journée fatigante, Nestor Nikar se repose dans la salle des professeurs en sirotant du thé de Banille.

minuit

Après le souper, Nestor a encore du travail à faire chez lui. Il corrige les devoirs et prépare les leçons du lendemain.

L'école Anne-Bonnait

Deux fois par semaine, après les leçons, la chorale de l'école s'exerce avec Sido Fadiaise.

La meilleure peinture sera présentée cette semaine au concours d'art de Banille.

Aujourd'hui, un élève-instituteur fait la leçon de choses sur les grenouilles de Banille.

Il y a quelques bons gymnastes dans cette école. Ils donneront un spectacle à la fin du trimestre.

Bibliothécaire

Personne ne doit faire de bruit à la bibliothèque de l'école.

Balayeur

Agent d'entretien

Tous les jours, l'agent d'entretien apporte des fleurs fraîches pour décorer l'entrée.

Secrétaire

Josée Toup demande à la secrétaire d'inviter le maire Aimoi et son mari au spectacle de gymnastique.

Le Boulanger

Denis Baguette est un patron boulanger. Il possède la boulangerie « Baguette de Banille ». Son père a ouvert la boulangerie il y a cinquante ans. Denis a repris l'affaire à son compte quand son père s'est retiré.

La fille de Denis, Béa *Boulangère* Baguette, travaille maintenant avec lui. Elle a été apprentie pendant quatre ans à la boulangerie. Béa a encore beaucoup à apprendre avant de devenir à son tour patron boulanger.

Pâtissier

Émile Feuille est un grand pâtissier. Il a remporté de nombreuses récompenses pour ses célèbres choux à la crème de Banille. Il a été apprenti chez Jef Egrocir, un pâtissier de Paris.

Pâtissière décoratrice

Régine Sansel est venue vivre à Banille à l'âge de seize ans. Et depuis, elle a toujours travaillé pour Denis. Elle décore toutes les pâtisseries.

Denis, Béa, Émile et Régine commencent à travailler à 3 h 30 du matin. Vers midi, toutes les fournées sont faites.

Batteur

Étuve

La pâtisserie

Émile fait toutes sortes de pâtisseries délicieuses. Il les garnit de fruits et de crème de Banille.

La cuisson des beignets

Les beignets sont frits dans l'huile bouillante. Puis, on les remplit de confiture et de crème.

Four de cuisson

Grilles de refroidissement

Pétrin mécanique

Apprenti boulanger

La fabrication du pain

1 Béa Baguette fait la pâte avec de la farine, de la levure et de l'eau. Elle met l'ensemble dans un grand pétrin mécanique.

2 Elle divise la pâte en morceaux, et pèse chaque morceau.

3 Les morceaux de pâte sont façonnés en pâtons de différentes formes.

4 Puis elle enfourne les pâtons dans une étuve pour les faire lever.

5 Ils sont cuits dans un four à très haute température jusqu'à ce qu'ils soient croustillants et dorés sur le dessus.

La décoration des gâteaux

Aujourd'hui, Régine Sansel a un travail particulier à faire. Elle décore un gros gâteau de mariage. Eugénie Dulogit et Nestor Nikar doivent se marier dimanche.

A la boulangerie

Vendeuse

Une partie du pain et des gâteaux sont vendus à la boulangerie. L'autre partie est livrée, avant le petit déjeuner, aux hôtels, aux restaurants et aux particuliers.

15

La Fermière

Pierrette Pautolet a une ferme laitière. Elle possède un troupeau de cinquante vaches à lait. Dans sa ferme, elle élève aussi des cochons qu'elle vend au charcutier, et beaucoup de poules pondeuses.

C'est un rude travail que d'exploiter une grande ferme, mais Pierrette a six employés pour l'aider. Chacun d'eux a un travail précis.

Les employés de la ferme

Régisseur

Femme chargée de la traite

Vacher

Porcher

Éleveuse de volailles

Tractoriste

La ferme Pautolet

Le vacher, Justin Brin, ramène les vaches des champs au moment de la traite.

Jo Redone, le régisseur, aide Pierrette à exploiter la ferme. Il dirige les employés.

Pierrette pense aux cinq vaches qu'elle espère acheter cet après-midi au marché aux bestiaux.

La basse-cour

Aude Lète, l'éleveuse de volailles, s'occupe des poules. Chaque matin, elle ramasse les œufs, les trie selon leur grosseur, et va les vendre au marché. Le soir, elle s'assure que les poules sont à l'abri dans le poulailler.

Oscar Burent conduit le tracteur. Il fait toutes sortes de travaux à la ferme.

LAIT DE BANILLE

Tous les matins et tous les soirs, Blanche s'occupe de traire les vaches à l'aide d'une trayeuse électrique.

Le lait des bidons est amené jusqu'à un grand réservoir avec une pompe.

Chaque semaine, un camion-citerne vient chercher le lait à la ferme.

Blanche donne aux vaches une nourriture spéciale qui leur fait produire plus de lait.

VIENS SOPHIE ! BOUGE-TOI, CHLOÉ !

Blanche met environ trois heures pour traire toutes les vaches et nettoyer l'étable.

Blanche connaît toutes les vaches par leur nom.

La porcherie

Vétérinaire

Le porcher, Frank Faure, s'occupe des cochons. Aujourd'hui, une truie est malade. Amédée Baite, le vétérinaire, est venu voir ce qui ne va pas.

Frank aime bien ses cochons. Chaque jour, il nettoie leurs enclos, et leur donne beaucoup à manger pour qu'ils engraissent vite.

Le Garagiste

Clément Min possède le plus grand garage de Banille. On vient de toute l'île lui acheter ses voitures. Dans l'atelier, ses mécaniciens changent les pneus, révisent les freins, réparent les voitures en panne ou qui ont été gravement accidentées. Ils sortent souvent avec la dépanneuse pour remorquer les voitures endommagées jusqu'au garage. Le lave-auto de Clément est le meilleur de Banille. Les voitures en ressortent étincelantes. La boutique du garage est bien approvisionnée en huiles, graisses, produits d'entretien, batteries et pneus pour satisfaire la clientèle.

L'atelier de réparation

A l'atelier, Olga Soual, la mécanicienne, a un travail particulier aujourd'hui. Jacques Célère, le célèbre coureur automobile, désire qu'elle mette sa voiture au point pour le Grand Prix de Banille qui aura lieu la semaine prochaine.

Le magasin

Emma Gasine vérifie qu'il y a en stock les pièces détachées pour toutes sortes de voitures.

L'atelier de peinture

Carl Ausserie, le peintre en carrosserie, et son aide, portent des masques quand ils peignent au pistolet.

Garagiste — Directrice du service de réparation — Secrétaire

Directeur des ventes

Vendeuse

Mécaniciens

Clément Min achète des voitures neuves à une usine du continent. Il achète aussi des voitures d'occasion quand elles sont en bon état de marche.

La directrice du service de réparation note les rendez-vous pour l'atelier de réparation. Elle indique à ses clients le coût des réparations envisagées.

Gaston Lafrape est secrétaire. Il tape le courrier, et se charge d'un important travail de bureau.

La salle d'exposition

Luc Ratif est le directeur des ventes. Avec Ella Dubagou, la vendeuse, il vend des voitures neuves ou d'occasion dans la salle d'exposition.
Ella vient de vendre une voiture de sport à deux places à Pierrette Pautolet, la fermière. Devant la salle d'exposition se trouvent les pompes à essence et la boutique du garage.

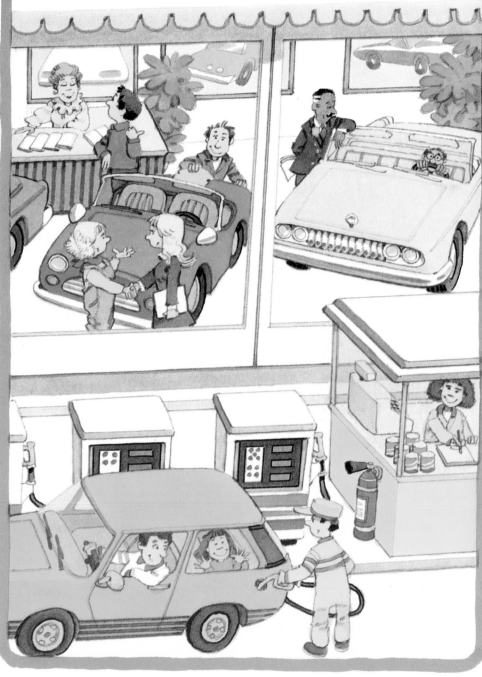

Magasinière

Peintre en carrosserie

Apprenti peintre

Réceptionniste

Laveurs de voitures

Pompiste *Caissière*

Le Journaliste

Félix Manchette est journaliste à l'*Écho de Banille*. Il écrit des articles sur les habitants de l'île et sur tous les événements qui s'y produisent.

Comme tous les bons journalistes, Félix travaille dur pour recueillir des informations intéressantes. Il a l'art de poser des questions aux gens et de se renseigner sur leur vie.

Trois autres journalistes, Aude Ladémer, Aubin Defoule et Eva Poret, travaillent au journal. Chacun est spécialisé dans un domaine particulier. Paul Aroïde est le photographe.

Journaliste d'informations générales

Félix fait des reportages sur tout ce qui concerne l'île et la vie de ses habitants.

Envoyée spéciale

Aude Ladémer voyage dans le monde entier pour rendre compte de ce qui se passe dans les autres pays.

Journaliste de mode

Eva Poret écrit tous les articles sur la mode. Elle assiste aux présentations des collections de mode.

Reporter Sportif

Aubin Defoule aime le sport. Il écrit des articles sur les courses, les matchs de tennis et de football.

Photographe

Paul Aroïde fait des photos. Il se rend partout où il se passe quelque chose sur l'île.

Le bureau de la rédaction

Rédacteur en chef · *Secrétaire* · *Rédactrice en chef adjointe* · *Porteur de dépêches*

Le rédacteur en chef, Eddy Torial, dirige l'*Écho de Banille*. Chaque jour, il lit tous les articles qu'écrivent les journalistes, et décide de les imprimer ou non.

Edith Ondusoir, la rédactrice en chef adjointe, dirige le travail des journalistes. Tôt le matin, elle s'entretient avec eux des articles à écrire pour l'édition du lendemain.

Un défilé de mode

Mannequin

Eva Poret écrit un article sur les dernières créations du grand couturier Elie Gant.

A l'étranger

Aude Ladémer, sur une île voisine, a un triste reportage à faire. Une baleine s'est échouée. Survivra-t-elle ?

Une grande course

Coureur automobile

Aubin Defoule interviewe le célèbre coureur automobile Jacques Célère qui vient de gagner le Grand Prix de Banille.

Le mariage

Félix Manchette fait un reportage sur l'un des événements les plus marquants de l'année — le mariage d'Eugénie Dulogit, l'hôtelière, et de Nestor Nikar, le maître d'école.

Dès la fin du dernier discours, Félix Manchette se rue à son bureau pour rédiger le compte rendu du mariage. Les meilleures photos de Paul paraîtront avec son article.

La secrétaire de rédaction

La secrétaire de rédaction relit et corrige l'article de Félix. Elle s'assure qu'il n'y a aucune faute de grammaire ou d'orthographe.

Le claviste

Le claviste tape ensuite l'article sur un clavier d'ordinateur. Le texte sort disposé en colonnes sur de longues bandes de papier.

Le maquettiste

Le maquettiste dispose et assemble les colonnes pour composer les pages du journal. Il fait une épreuve de chaque page.

La salle des machines

Conducteur de presse

Chaque soir, des milliers de journaux sont imprimés sur une énorme presse. Les conducteurs de presse travaillent dans une salle bruyante et surchauffée. A peine imprimés, les journaux sont livrés dans toute l'île.

L'Écho de Banille

Félix Manchette est enchanté. Son article a fait la une du journal. Il occupe la première page de l'*Écho de Banille* du lendemain.

Le Pilote d'avion

Le commandant, Charlie Tango, est pilote de ligne. Il travaille pour Air Banille, et conduit des passagers aux quatre coins du monde à bord de gros avions. Sur chaque vol, il a un copilote. Aujourd'hui, Julie Nimbus aidera le commandant à piloter l'avion jusqu'à l'aéroport d'Orly en France.

Otto Mattick est aussi à bord du vol 333 d'Air Banille. C'est le mécanicien de bord. Son travail est de s'assurer que l'avion marche parfaitement. Sur ce long trajet, l'avion fera escale une fois pour se ravitailler en carburant. L'équipage passera une nuit à Paris avant de repartir.

L'équipage

Charlie Tango et son équipage se retrouvent à l'aéroport deux heures avant le décollage de l'avion. Ils ont du travail.

Le bureau de météo

D'abord, au bureau de météo, le commandant prend connaissance des conditions météorologiques sur le trajet du vol 333.

La salle de briefing

Il établit ensuite un plan de vol pour déterminer la route qu'il va prendre, son altitude et sa vitesse de vol.

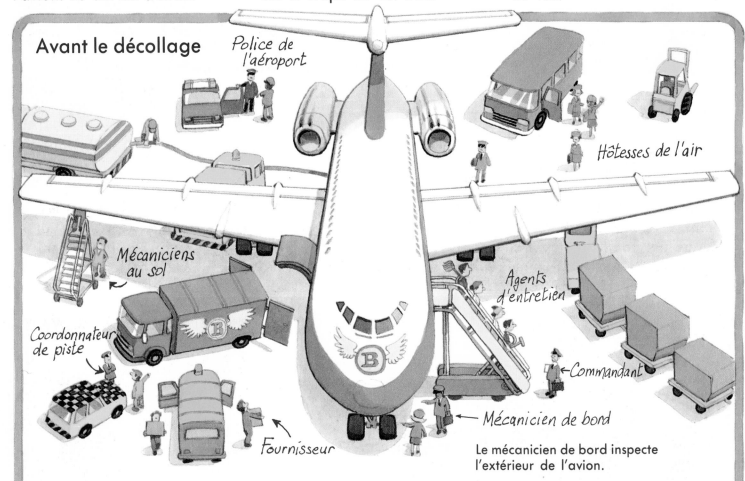

Avant le décollage

Le mécanicien de bord inspecte l'extérieur de l'avion.

L'équipage monte à bord de l'avion avant les passagers. Dès que l'avion est nettoyé, on y embarque la nourriture et la boisson. On charge les bagages et la cargaison.

Tandis que les mécaniciens vérifient l'avion très soigneusement pour éviter tout risque en vol, on remplit les réservoirs, situés dans les ailes, de milliers de litres de carburant.

La cabine de pilotage

Le commandant, le copilote et le mécanicien de bord s'assoient dans la cabine de pilotage à l'avant de l'avion. Avant de décoller, ils vérifient que les commandes de l'appareil et les instruments de vol marchent bien.

L'embarquement

Groupe de rock

Hôtesse de l'air

L'hôtesse de l'air accueille Nina et les Anicroches à bord du vol 333. Durant le voyage, l'hôtesse veille au confort des passagers, et leur sert des repas et des boissons.

La tour de contrôle

Contrôleur aérien

Tout est prêt. Les passagers ont attaché leur ceinture. Les portes sont fermées. Charlie Tango demande par radio à la tour de contrôle l'autorisation de mettre les moteurs en marche et de rouler vers la piste d'envol.

Au bout de la piste, le commandant met les volets des ailes en position, ouvre les gaz, et prend de la vitesse. L'avion s'élève lentement dans l'air. Le vol 333 d'Air Banille est parti.

Dès que l'avion a pris sa vitesse de croisière, Charlie Tango informe ses passagers sur le voyage à venir.

Au cours du vol, il va dans la cabine des passagers souhaiter à M. et Mme Nikar un heureux voyage de noces à Paris.

Juste à l'heure prévue, le commandant Tango atterrit sur la piste de l'aéroport d'Orly.

Les Pompiers

Le commandant, Vincent Fumet, dirige la brigade des pompiers de Banille. Ses hommes l'appellent « le chef ». Vincent est le personnage le plus important de la caserne des pompiers.

Chef des pompiers

Commandant en second

Irène Dalarme est capitaine. Elle aide Vincent à diriger la brigade. Irène sort souvent avec les pompiers pour combattre de grands incendies.

Les deux sergents, Pat Pannick et Boris Quetout, commandent les pompiers. Chaque matin, ils leur indiquent les véhicules qu'ils auront à conduire, et répartissent les tâches.

Chefs de garde

La brigade des pompiers de Banille comprend vingt pompiers ordinaires ou sapeurs.

Pompiers

24

L'entraînement

Les pompiers doivent être en excellente condition physique, et s'entraîner à travailler en équipe. Tous les jours, ils font beaucoup d'exercices pour garder force et souplesse.

La caserne de Banille

Un incendie ravage les bureaux de l'*Écho de Banille*. Des pompiers avec deux autopompes ont déjà quitté la caserne pour combattre le feu. Mais il faut des renforts de toute urgence.

Dès qu'ils entendent la sirène d'alarme, les pompiers interrompent leurs occupations.

Cuisinier de la caserne

Ils se précipitent pour gagner la remise aussi vite que possible, et empruntent les perches de feu.

Officier de permanence

Dans la salle des transmissions, l'officier de permanence communique par radio avec Vincent.

REMISE DE PREMIER DÉPART

Les pompiers enfilent leur tenue de feu dans le fourgon-pompe tout en roulant vers l'immeuble en feu. Il n'y a pas un moment à perdre. Il leur faudra six minutes pour arriver sur les lieux.

Une intervention

Les pompiers de Banille sont toujours prêts à intervenir d'urgence. Ils passent des heures à s'entraîner à lutter contre les incendies et à faire des exercices de sauvetage.

Les pompiers savent aussi donner les premiers secours aux blessés.

Ambulancière

Les pompiers raccordent une lance à incendie à une prise d'eau pour capter l'eau d'une canalisation souterraine.

Vincent Fumet a été blessé.

Journaliste

Le pompier Pannick doit tenir fermement la lance à incendie pour qu'elle ne lui échappe pas des mains.

Ils apprennent à manœuvrer les longues échelles et à y grimper, à se servir des appareils respiratoires dans une fumée épaisse, et à porter des gens sur leurs épaules.

Le feu fait rage à l'*Écho de Banille*. Mais les pompiers agissent avec sang-froid. Ils maîtriseront vite l'incendie.

Deux personnes ont été incommodées par la fumée. Une ambulance est prête pour les conduire à l'hôpital.

Les pompiers de Banille doivent parfois secourir des personnes victimes d'accidents de voiture ou menacées par des inondations.

Le Docteur

Le cabinet de consultation

Le docteur Penny Silline a son cabinet de consultation sur la grande place. Elle travaille aussi à l'hôpital de Banille.

Tous les matins, excepté le dimanche, elle reçoit des clients en consultation. Les après-midi, elle va à l'hôpital Sainte-Erna pour y visiter ses malades. Parfois, en cas de maladie ou de blessure grave, le docteur Silline doit opérer.

A la fin d'une journée chargée, le docteur Silline reçoit à son cabinet un appel urgent de l'hôpital. Le chef des pompiers a eu un accident. Il a la jambe cassée. Peut-elle venir vite ?

Avant d'opérer

Le docteur et son assistant mettent une blouse propre et un masque. Ils se frottent avec une brosse et du savon pour éliminer les microbes.

Une anesthésie

LE TEMPS DE COMPTER JUSQU'À TROIS ET VOUS SEREZ ENDORMI !

Anesthésiste

Juste avant l'opération, l'anesthésiste, Sam Andore, fait une piqûre dans le bras de Vincent. Ainsi, il dormira profondément pendant que le docteur Silline opérera sa jambe cassée.

La maternité

Aujourd'hui, il y a du remue-ménage à la maternité. Mme Baguette, la femme du boulanger, vient d'avoir des triplés — deux garçons et une fille.

Paul Aroïde est venu photographier les bébés Baguette pour son journal, l'*Écho de Banille*.

La sage-femme a aidé à mettre les bébés au monde.

Sage-femme

Le docteur Silline visite toutes les nouvelles mamans et leurs bébés.

La radio

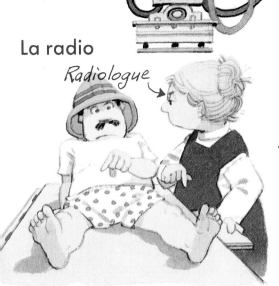

En attendant le docteur, la radiologue radiographie la jambe de Vincent.

La jambe de Vincent a une double fracture. Le docteur doit l'opérer immédiatement.

La préparation

L'infirmière Patience fait une piqûre à Vincent pour le calmer avant l'opération.

La salle d'opération

Tout le monde se tait dans la salle d'opération tandis que le docteur incise la jambe de Vincent. Elle remet les os en place, et suture la plaie. Elle lui plâtrera ensuite la jambe.

Dans la chambre

Vincent se réveille. Il se sent beaucoup mieux, et peut recevoir des visites.

L'infirmière, Gerda Vout, a la charge de la maternité.

Un autre bébé est sur le point de naître.

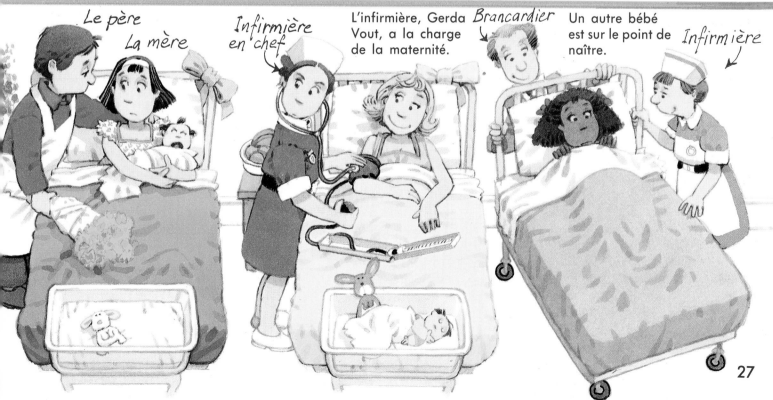

27

Le Producteur de télévision

Productrice de télévision

Delphine Anse est productrice de télévision. Elle a la responsabilité de réaliser une série télévisée appelée « Clan ». Chaque semaine, la télévision de Banille diffuse un nouvel épisode.

Réalisateur de télévision

Phil Mage, le réalisateur, dirige les acteurs et l'équipe technique. Il leur indique ce qu'ils doivent faire.

Assistante du réalisateur   **Régisseur**

Denise Aupoint et Jean Fétraud travaillent avec le réalisateur, et l'aident à diriger les acteurs.

Décorateur

Jim Agine dessine les décors de chaque scène, puis réalise des maquettes. Des menuisiers construisent les décors d'après ses maquettes.

Acteurs

Le producteur et le réalisateur choisissent les acteurs pour la série. Roméo Lamour et Sophie Stiquet ont les rôles principaux.

La réalisation de « Clan » — une série télévisée

C'est le travail de Delphine de réunir assez d'argent pour réaliser l'émission, puis d'engager toute l'équipe nécessaire au tournage.

Quelques scènes sont filmées « en extérieur ». Mais la plus grande partie de « Clan » est tournée dans un studio de télévision.

1

Scénariste

Un scénariste a écrit l'histoire de Clan. Le scénario indique aux acteurs ce qu'ils doivent dire et faire.

2

Les acteurs répètent plusieurs fois chaque scène avec le scénario pour apprendre par cœur les paroles et les gestes.

3

Jim montre à Delphine la maquette du décor pour l'épisode de cette semaine. Il représente le salon d'une vaste maison.

4

Accessoiriste

Il indique à l'accessoiriste les objets nécessaires pour chaque scène. Cette semaine, il faut des meubles, des lampes et des tapis.

5

Costumière   **Premier rôle**

La costumière a conçu une robe spécialement pour Sophie. Sophie l'essaye pour voir si elle lui va bien.

6

Dans la loge, le maquilleur met une perruque et une fausse moustache à l'acteur pour le faire paraître plus âgé.

Dans le studio

« Clan » est l'histoire d'une riche famille, appelée les Sorbait, qui possède des plantations d'orchidées. Les gousses d'orchidées servent à parfumer la glace de Banille.

De puissants projecteurs éclairent le décor.

Le micro est suspendu au bout d'une longue tige appelée une perche.

Cette semaine, les Sorbait sont réunis dans la demeure familiale. Quelqu'un a tenté de tuer Max Sorbait. Est-ce sa femme ou sa sœur Zelda ? Tout le monde se tait quand le tournage commence.

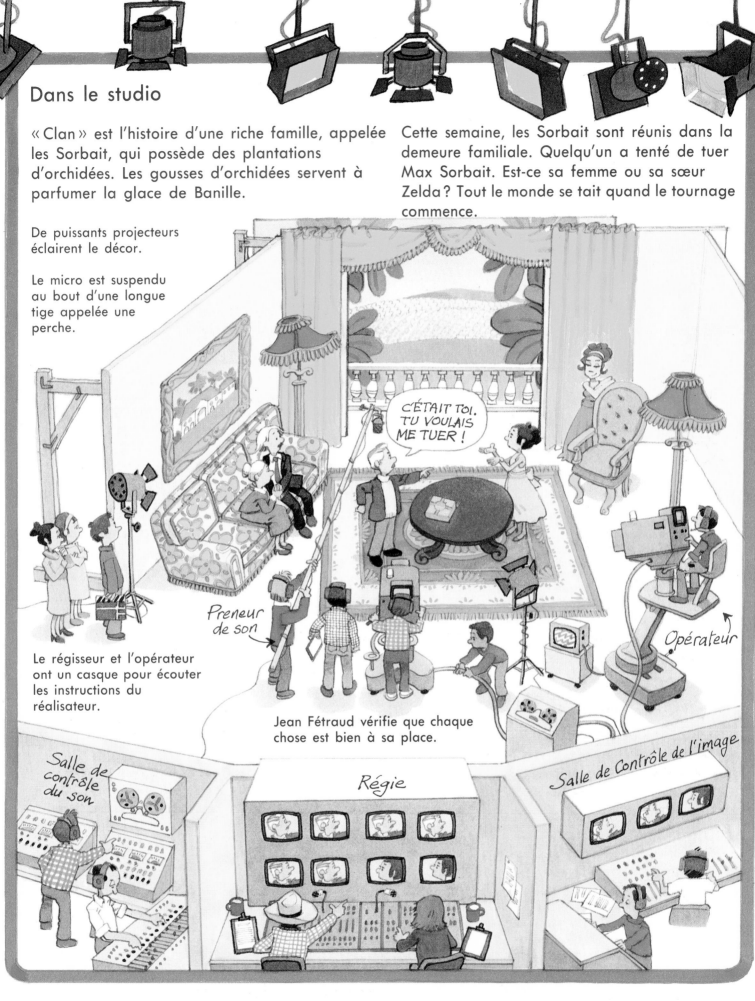

C'ÉTAIT TOI. TU VOULAIS ME TUER !

Preneur de son

Opérateur

Le régisseur et l'opérateur ont un casque pour écouter les instructions du réalisateur.

Jean Fétraud vérifie que chaque chose est bien à sa place.

Salle de contrôle du son

Régie

Salle de Contrôle de l'image

Le réalisateur se trouve à la régie avec Denise Aupoint. Ils parlent dans un micro pour diriger les techniciens du plateau et des salles de contrôle.

Des ingénieurs travaillent dans les salles de contrôle. Ils veillent à la netteté de l'image et à la qualité du son.

La Police de Banille

Le chef de la police, Gilles Éparbal, commande les forces de police de Banille. Trente hommes et femmes l'aident à veiller sur les habitants de l'île. Ils sont entraînés à faire toutes sortes de tâches : régler la circulation, rechercher les personnes et les animaux disparus, et intervenir en cas d'incendie ou d'accident.

Les policiers de Banille ont beaucoup de travail et des journées très chargées. Ils travaillent la nuit à tour de rôle. Ils doivent parfois poursuivre et arrêter un malfaiteur. Aujourd'hui, le chef Éparbal a été appelé au parc Sansouris. Un voleur a dérobé la statue en bronze du maire.

Le parc Sansouris

Le chef de la police parle avec un témoin qui déclare avoir vu le voleur.

Le brigadier, Jean Tiendeu, communique les événements au commissariat central.

L'officier de police judiciaire, Cathy Mini, cherche un indice qui pourrait l'aider à trouver le coupable.

Chef de patrouille

Brigadier

Chef de la police

Témoin

Officier de police judiciaire

Photographe

Technicien

L'agent de police, Samson Quépi, note par écrit tout ce que dit le témoin.

Un technicien de la brigade de recherches découvre des empreintes digitales. Appartiennent-elles au voleur ?

Un photographe de la police photographie tout ce qui peut servir de preuve.

L'enquête

Cathy Mini examine les empreintes qui ont été relevées sur le socle de la statue.

Elle interroge l'un des témoins. Il dit que le voleur était roux et plutôt gros.

Cathy aide le témoin à préciser sa description du voleur. Que portait-il ? Était-il grand ? Elle utilise un assortiment de photos pour composer un portrait-robot. Était-ce Robin Deville ?

D'autres tâches de la police

La police fluviale

Deux hommes-grenouilles de la police repêchent un homme qui était tombé dans le fleuve.

Maîtres-chiens

Voleur

Maître-chien

Certains policiers ont des chiens pour les aider à arrêter les malfaiteurs.

Le poste de police

Au poste de police, l'officier de garde, Luc Harne, surveille les cellules.

De nombreux curieux sont venus voir ce qui se passe. Des gendarmes à cheval contiennent la foule.

Gendarme à cheval

Ces enfants se sont perdus. Le gendarme les ramènera chez eux.

Élise Aimoi, le maire, est bouleversée. Elle pense à la statue volée. Les habitants de Banille l'ont fait faire l'année dernière en l'honneur de tous les services qu'elle a rendus à l'île.

Inspectrice

L'inspectrice, Jeanne Alise, interroge trois autres personnes qui pensent avoir vu le voleur.

Ce gendarme vient en aide à une femme évanouie. Les policiers doivent être aussi de bons secouristes.

Elle consulte le fichier. Les empreintes relevées correspondent à celles de Robin.

Cathy suit Robin. Il projetait de faire fondre la statue pour vendre le bronze.

Elle arrête le voleur et lui met des menottes. Puis elle l'emmène au poste de police.

Robin est mis dans une cellule. Il sera jugé demain au tribunal par le juge.

Le Vétérinaire

Amédée Baite est vétérinaire. Il a étudié pendant quatre ans sur le continent. Il a appris à soigner les fractures, à suturer les plaies et à faire des vaccins. Il lui arrive souvent d'opérer, et il a sauvé la vie de nombreux animaux.

Les habitants de Banille lui amènent leurs animaux malades. Le matin et le soir, deux assistantes l'aident à son cabinet. L'après-midi, il va voir toutes sortes d'animaux malades dans les fermes voisines.

Assistante vétérinaire *Vétérinaire* *Secrétaire*

Le vétérinaire est toujours de garde. S'ils sont très inquiets, les propriétaires d'animaux l'appellent chez lui — même au milieu de la nuit.

Amédée Baite commence à travailler à huit heures le matin. Avant l'arrivée de ses patients, il s'assure qu'il y a tout ce qu'il faut dans son cabinet.

L'assistante inscrit le nom de chaque animal et ce dont il souffre. Élise Aimoi a amené son lapin, Renifle, à la consultation.

La salle d'attente

Le chat d'Eugénie Dulogit, Léo, a mal aux oreilles.

Scintille, le poisson, a une nageoire très mal en point.

La tortue de Josée Toup, Salade, a été mordue par un chien.

Glissou, le serpent, souffre d'une indigestion.

Héro, le jeune chien de la police, doit se faire vacciner.

Vers neuf heures, de nombreuses personnes attendent avec leur animal familier pour voir le vétérinaire.

Amédée Baite sait soigner toutes sortes d'animaux différents, même des poissons et des oiseaux.

Dans le cabinet

Le vétérinaire ausculte d'abord Renifle. Il examine ses dents, ses yeux et ses oreilles. Puis il écoute sa respiration et son cœur avec un stéthoscope.

Le lapin a un mauvais rhume. Amédée lui fait une piqûre pour l'aider à guérir. Il dit à Élise Aimoi de garder Renifle au chaud, et qu'il ira beaucoup mieux dans une semaine.

En visite à la ferme Pautolet

Fermière

Dans l'après-midi, Amédée se rend à la ferme Pautolet. Le cheval, Trot, boite. Le vétérinaire dit qu'il faut lui changer ses fers.

Puis il examine la truie qu'il a soignée la semaine dernière. Elle va beaucoup mieux et aura probablement ses petits bientôt.

Amédée visite deux autres fermes avant de retourner à son cabinet. Son coffre est plein de médicaments.

A la consultation du soir Peter, le perroquet, est le premier patient d'Amédée. Il faut couper ses longues griffes.

Le cabinet est fermé, mais il y a encore du travail. Amédée inscrit toutes les consultations et les traitements qu'il a donnés.

Le Danseur de ballet

Ballerine

La barre

Danseurs

Maîtresse de ballet

Pianiste

Tatiana Chausson et Florent Trechat sont les danseurs étoiles de Banille. Tous deux dansent depuis l'âge de cinq ans. Avant de faire partie du corps de ballet de Banille, ils ont suivi les cours d'une école de danse.

Tous les matins, ils vont aux cours de danse perfectionner leurs pas et exercer leurs muscles. L'après-midi, ils répètent le spectacle de ballet qu'ils donnent le soir.

A la barre, les danseurs font des exercices d'extension et de flexion pour échauffer leurs muscles. Ils travaillent dur pour garder force et souplesse.

La maîtresse de ballet, Diane Lessigne, fut une célèbre ballerine. Elle fait faire des exercices aux danseurs, et corrige leurs fautes.

Une répétition

Orchestre

Chef d'orchestre

Chorégraphe

Pierre Ouète est chorégraphe. Son travail consiste à créer de nouveaux ballets pour le corps de ballet de Banille. Il choisit d'abord la musique. Puis il règle l'ensemble des pas et des figures qu'exécuteront les danseurs.

Les danseurs répètent le dernier ballet de Pierr qui leur montre avec précision ce qu'il faut fair Au bout de quelques semaines, ils connaissent leu pas à la perfection. L'orchestre joue aux dernièr répétitions.

Le milieu

Après le travail à la barre, les danseurs font des exercices au milieu du plancher. Ils apprennent les sauts et les tours, et à bien tenir leurs bras, leurs mains et leur tête. Les danseurs doivent toujours être gracieux.

Les pas de deux

Tatiana et Florent dansent ensemble plusieurs heures par jour. Ils sont partenaires depuis près de six ans. Florent s'exerce à tenir et à porter Tatiana en exécutant toutes sortes de figures difficiles.

Dans la loge des artistes

Habilleuse

LES PREMIERS EN SCÈNE, S'IL VOUS PLAÎT !

Perruquier

Régisseur

Le spectacle de ballet va bientôt commencer. Dans la loge, les danseurs se maquillent et s'habillent. Le régisseur leur dit qu'ils doivent être prêts à entrer en scène dans cinq minutes.

Le spectacle

A la fin du spectacle, tous les danseurs saluent l'assistance. Le public a aimé le ballet de Pierre. Ils applaudissent à tout rompre et lancent des fleurs sur la scène. Tatiana, qui a dansé à merveille, reçoit un gros bouquet de fleurs.

35

La fête de Banille

Tous les ans, il y a une grande fête à Banille pour célébrer l'anniversaire du maire. A cette occasion, tous les habitants de l'île se retrouvent au parc Sansouris.

Il y a des concours de chant et de danse, des loteries et des jeux, des prix à gagner et des spécialités à déguster.

Cherche les personnages que tu as déjà rencontrés dans ce livre. Te rappelles-tu leur nom ?

Vincent Fumet arbitre le concours de gâteaux. A son avis, le meilleur est le gâteau au chocolat et à la crème de Béa Baguette.

Cette année, au concours de danse, Tatiana Chausson et Florent Trechat éliront les meilleurs danseurs de rock and roll.

Eugénie Dulogit et ses cuisiniers ont préparé toutes ces spécialités.

L'invitée d'honneur, Élise Aimoi, vient d'arriver. Le poseur de moquette, Ivan Letapi, déroule le tapis rouge devant elle.

BLITZ

A chaque fête, Nina et les Anicroches interprètent leurs derniers succès. Delphine Anse les filme pour diffuser le concert à la télévision de Banille.

ÉLISE AIMOI!

NINA ET LES ANICROCHES

LES PRODUITS DE LA FERME

AUX PAINS DE BAGUETTE

Le juge Clément est très content. Il vient de gagner le premier prix à la loterie.

BILLETS DE LOTERIE

Qui gagnera au « tire à la corde » ? Pierre Detaille et son équipe ou la brigade des pompiers ?

COURSES

L'ANIMAL DE L'ANNÉE

Laquelle de ces petites bêtes aura le titre ?

Le commandant, Charlie Tango, remet leurs médailles aux gagnants de la course à trois pattes.

37

Index